D1517071

DISCARD

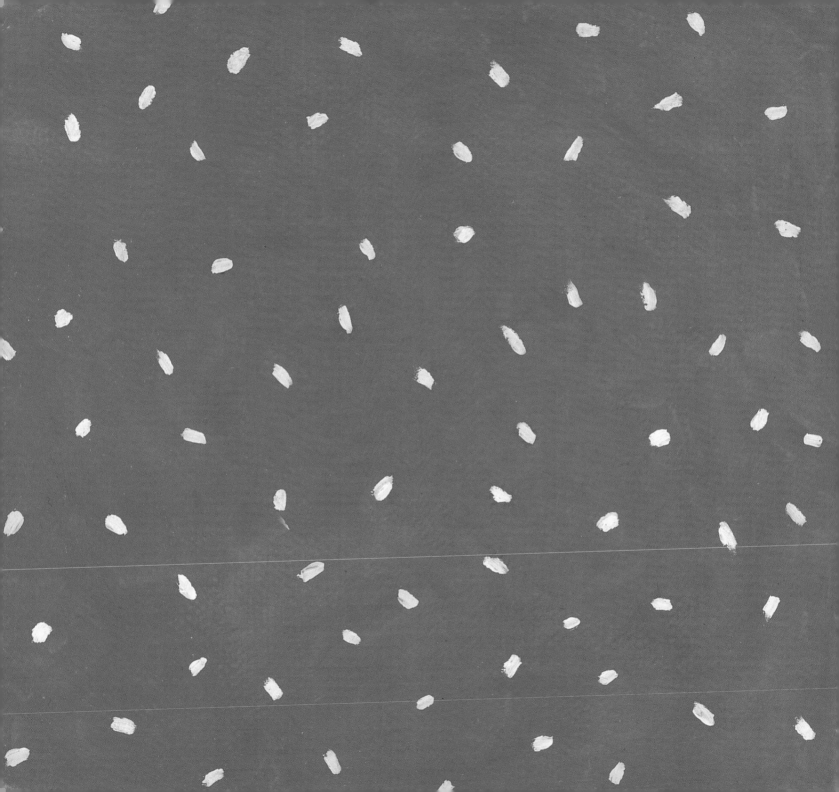

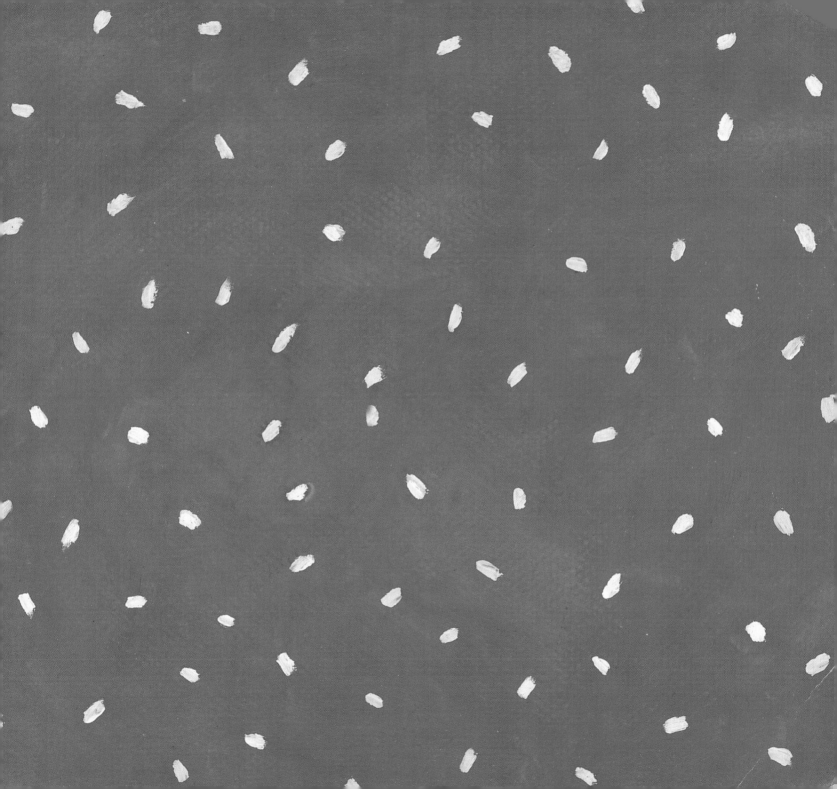

Traducción al español: Paula Vicens
© 2000, Editorial Corimbo por la edición en español
1ª edición, octubre 2000
© 1999, l'école des loisirs, Paris
Título de la edición original: «Où va l'eau?»
Impreso en Italia por Grafiche AZ, Verona

jeanne AshBé

¿ Adónde va el agua ?

Editorial Corimbo

Barcelona

Ésta es Lili.
Tiene sed.

Su mamá le dice:
«Toma el vaso
verde de agua, Lili».

Lili corre.
¡El agua se derrama!

Los amigos
de Lili también
tienen sed.

Lili dice:
«Toma, patito».

Lili busca
en la maleta.

«Toma ratoncito,
una taza
para ti.»

Después,
Lili toma
de la alacena
un bol de lunares.

¡Ya está!
Ahora hay agua
para todos.

«¡Cuitado, patito!»

«¡Oooh!
¡Se acabó el agua!»
dice el patito.

«¡Y que lo digas!»
dice el ratón.

«Hace falta agua»,
dice Lili.

Glu, glu, glu.
¡Ale!
El cubo grande
lleno de agua.

«¿Quién quiere
agua del cubo?»

Con el agua del cubo,
Lili vuelve a llenar
el vaso verde.

Però, ¿adónde va
el agua del vaso verde?

¡Al suelo!

Queda
agua
en el cubo.

¿Adónde va
el agua
del cubo?

¡Mira, mira!
El agua del cubo va...
a la palangana.

Y, ¿adónde va
el agua de la palangana?

Lili dice:
«És para mí.

¿Llenamos
el bol de lunares?».

Y Lili
se bebe el agua
del bol de lunares.

Y luego,
luego…

¡Oh! ¡Depriiiisa!

¿Adónde va el agua
del bol de lunares?

¿Al orinal de Lili
cuando Lili hace pipí?

Por lo visto sí,
pues sí.

Y Lili dice:
«¡Yupiiii!».

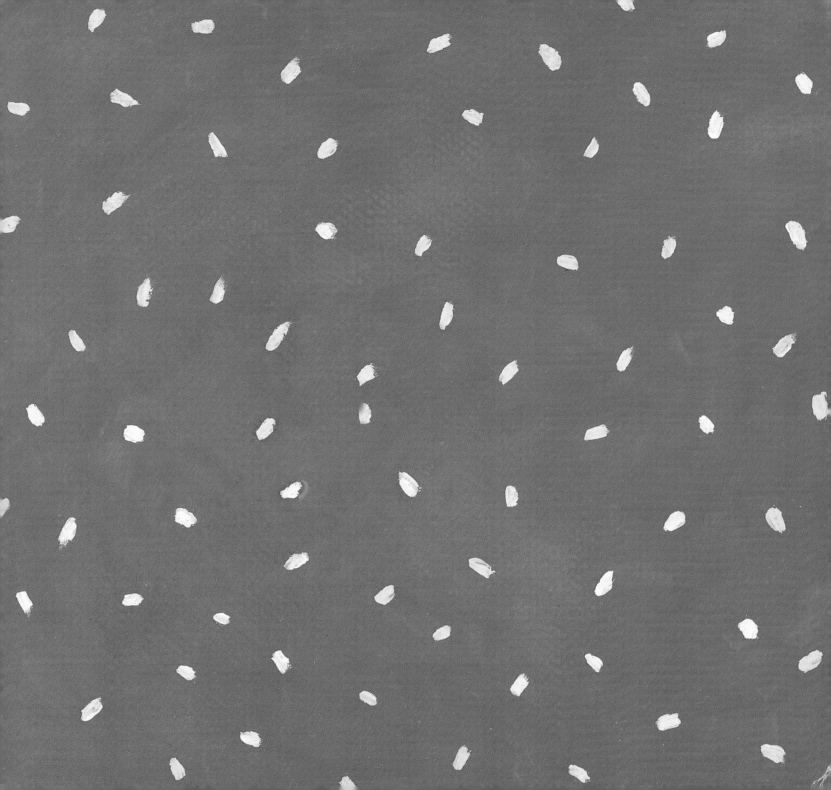